L'édition originale de cet ouvrage
a paru sous le titre: *Collage*
Copyright © Aladdin Books Ltd 1991
28 Percy Street, London W1P 9FF

Adaptation française de Philippe Chandelon
Copyright © Éditions Gamma, Tournai, 1992
D/1992/0195/36
ISBN 2-7130-1322-4
(édition originale: ISBN 0-7496-0545-6)

Exclusivité au Canada:
Les Éditions Héritage Inc., 300, rue Arran
Saint-Lambert, (Québec) J4R 1K5
Dépôts légaux, 2e trimestre 1992
Bibliothèque nationale du Québec
Bibliothèque nationale du Canada
ISBN 2-7625-6947-8

Imprimé en Belgique

L'auteur, Anthony Hodge, est lui-même un artiste.
Il expose régulièrement ses œuvres et, depuis 20 ans,
enseigne l'art aux adultes et aux enfants.

ARTISTE EN HERBE

LES COLLAGES

Anthony Hodge - Philippe Chandelon

Éditions Gamma - Éditions Héritage Inc.

SOMMAIRE

Introduction   2

Déchirer ou découper?   4

Effets spéciaux   6

Fixer le papier   7

Le monde du papier   8

Pas à pas   10

Collage et couleurs   12

Ton   14

Marbrure et frottis   16

Collage et photographie   18

Photomontage   20

Collage et dessin   22

Collage et étoffes   24

Collage et relief   27

Journal de bord   28

Cadeaux et présentation   30

Conseils pratiques   31

Index   32

✐ *Ce pictogramme introduit les conseils de l'artiste.*

INTRODUCTION

Le collage est une forme d'art extrêmement souple. Vous pourrez grâce à lui vous libérer des contraintes de la peinture et du pinceau pour entrer dans un nouveau monde de création.

Accessible à tous
Le collage est rapide et facile. Il a recours à des matériaux prêts à l'emploi tels que photographies et papiers de couleur, et convient à tous ceux qui aiment créer des images. Pas besoin d'être un grand artiste pour obtenir des résultats spectaculaires. Bien qu'il s'agisse d'un art à part entière, distinct de tous les autres, on peut le combiner avec le dessin et la peinture.

Faire du neuf avec du vieux
Le collage ne vous ruinera pas. Oubliez les équipements nouveaux et onéreux: des matériaux ordinairement mis au rebut feront l'affaire. Vous trouverez tout ce dont vous aurez besoin autour de vous, sans rien dépenser ou presque. Vous combinerez des objets courants d'une manière nouvelle et originale.

À propos de ce livre...
Le livre que vous tenez en main commence par un guide des instruments, techniques et matériaux relatifs au collage. À l'aide d'exercices pratiques, il vous enseigne des techniques simples d'abord, plus avancées ensuite.

✐ *Des morceaux de polystyrène et d'emballage de boîte à chocolats m'ont inspiré ce décor enneigé. J'ai utilisé du carton ondulé pour la maison et de la ficelle pour les plantes et le manche à balai. Un plastique d'emballage bullé, placé sur un papier bleu, représente la neige en train de tomber.*

DÉCHIRER OU DÉCOUPER?

Les pages qui suivent vous présentent les instruments et les techniques de base du collage. Pour donner au papier la forme souhaitée, il vous faudra le déchirer ou le découper. Dès cette première étape, plusieurs possibilités s'offrent à vous.

Comment déchirer

Il est très facile de déchirer un morceau de papier pour lui donner une forme. Un bord déchiré peut avoir un aspect très plaisant, aussi bien seul qu'à côté d'un bord découpé. Une fois fixé, le papier déchiré vous surprendra souvent par son efficacité. Pour plus de détails sur le sujet, vous pouvez consulter les «Conseils pratiques» de la page 31.

Comment découper

Les principaux instruments de découpage sont les ciseaux et les «cutters» (X-Acto). Les ciseaux sont pratiquement sans danger et faciles à manier. Utilisés avec habileté, ils produisent une grande variété de courbes et de droites.

Le «cutter» (X-Acto) permet un travail plus libre. Utilisé avec soin, il découpera les formes de papier aussi aisément qu'un crayon les dessine. Il s'agit d'un instrument tranchant. Ne le dirigez pas vers votre corps, et prenez garde à la main qui tient le papier. Veillez à toujours le replacer dans son étui de protection après usage.

Support

Lorsque vous utilisez un «cutter» (X-Acto), vous devez poser votre papier sur un support. Un carton fera l'affaire, à condition d'être épais. Le caoutchouc est assez cher, mais inusable.

Le papier est généralement coloré des deux côtés; c'est le cas pour la silhouette bleue. Lorsqu'on le déchire, certains des bords ont une teinte plus claire et une texture différente. Faites l'essai avec du papier de couleur bon marché.

Il arrive cependant que le papier ne soit coloré que d'un côté et blanc de l'autre. C'est le cas pour la silhouette rose. Déchirez en deux un papier de ce type. L'une des bandes que vous obtiendrez aura un bord coloré, l'autre étant bordée d'une ligne blanche spectaculaire. Sur un fond d'une autre couleur, l'effet produit peut être très efficace.

△ On créera des effets intéressants au moyen d'une perforatrice. Ci-contre, des trous dans le papier bleu font apparaître des flocons de neige.

▽ Des ciseaux spéciaux, les «ciseaux à denteler», découpent un bord régulier en forme de V. On croirait voir de l'herbe.

△ Le «cutter» (X-Acto) trace des bords nets. Il permet aussi de découper des trous (les fenêtres du château ci-dessus, par exemple) au milieu d'un papier. Pensez à remettre la lame dans son étui après usage.

▷ En pliant ou en enroulant le papier, on lui donne trois dimensions. Les marches ci-dessus ont ainsi été pliées, et les plumes de l'oiseau enroulées autour d'un crayon. En déchirant un papier contre une règle, on lui donne un bord droit. Ciseaux et «cutters» (X-Acto) permettent en outre de franger le papier et le carton.

EFFETS SPÉCIAUX

Le papier est un matériau très souple qui s'adapte à toutes sortes d'utilisations. Certains des effets spéciaux qu'il vous permet d'obtenir sont décrits ci-dessous; peut-être en découvrirez-vous d'autres par vous-même.

Modifier la texture

La surface du papier est en général unie, uniforme. Il est cependant possible de modifier cette **texture**, ce toucher. Du papier fin, de soie par exemple, peut être froissé puis raplati. On pourra également presser le papier contre une surface rugueuse ou texturée pour modifier son toucher. L'effet sera accentué si, une fois le papier placé sur la surface texturée, vous le frottez avec un objet dur, tel que le dos d'une cuillère.

Une feuille de papier aluminium suffit à créer l'illusion d'un objet. On emballe ce dernier dans la feuille; ensuite on le retire. La cuillère ci-dessous illustre parfaitement cette méthode.

✏ *Le collage ci-dessous a recours à plusieurs techniques pour représenter des objets trouvés sur une table de cuisine. J'ai froissé du papier de soie violet pour imiter la surface ridée des prunes. Pour simuler la porosité des fraises, j'ai pressé du papier rouge sur un tamis et je l'ai frotté avec une cuillère. La meilleure manière de saisir l'aspect d'un objet est parfois de l'inclure dans votre collage! L'assiette en papier en est un exemple.*

FIXER LE PAPIER

Peindre et dessiner

Parce qu'il utilise du papier de couleur, le collage permet de disposer instantanément de grandes surfaces colorées. Vous pouvez aussi colorier ou peindre une partie du papier pour créer tout un éventail d'effets. Crayons de couleur, pastels, aussi bien que crayons-feutres et peintures sont à votre disposition.

Coller le papier

Une fois déchiré, découpé ou peint, le papier doit être fixé sur le décor. Vous utiliserez généralement de la colle. Celle-ci existe sous forme de liquide (à pulvériser parfois) et de pâte ; on la trouve en pot, tube ou boîte. Chaque colle a son propre usage. Une fois sèche, la plupart du temps, elle est transparente. Si elle reste visible, on peut la gratter.

Ruban adhésif, épingles et agrafes

N'oublions pas le ruban adhésif. Le ruban à double face adhésive, à coller sur le dos du papier, est plus discret. Les épingles et les agrafes fixent le papier assez lourd sur le carton, le polystyrène ou le liège.

☞ *Ci-dessous, une coupe de fruits réalisée par combinaison de formes découpées et déchirées, peintes et fixées de diverses manières. Les punaises et les agrafes peuvent s'intégrer à l'image ; ici, elles ressemblent à des pépins et à des queues de fruits.*

LE MONDE DU PAPIER

Le collage repose essentiellement sur le papier. Du papier de soie au papier journal, des cartes postales au papier pour machine à écrire, il est absolument important de connaître l'éventail des matériaux existants.

Une bibliothèque de papier

Commencez votre propre collection de papiers. Vous serez surpris de voir tout ce que vous jetez d'ordinaire. Constituez-vous une réserve dans laquelle vous pourrez puiser pour l'exercice en cours.

Étudiez maintenant les possibilités du papier en réalisant votre propre collage. Vous y représenterez des fleurs en variant les textures autant que possible. Ci-contre, à droite, du papier de verre côtoie des enveloppes et des feuilles.

Découpez ou déchirez vous-même des pétales à partir des papiers que vous avez déjà rassemblés.

La composition

Lorsque vous cueillez ou achetez un bouquet de fleurs, vous ne manquez pas de l'arranger dans un vase. De même, pensez à disposer vos fleurs de papier de manière plaisante. On parle de «composition». Un des avantages du collage en la matière est de vous permettre de multiplier les essais avant de vous fixer sur la composition finale. Lorsque le résultat vous satisfait, procédez au collage.

✐ **N'oubliez pas que certaines de vos fleurs (comme dans le collage ci-contre) peuvent se chevaucher. Vous vous apercevrez que des formes similaires mettent en valeur les différentes qualités et textures de papier.**

Tout sur le papier

Le papier est fait de pulpe de bois mélangée à de l'eau et aplatie. D'autres substances, le lin, modifient sa texture. Le poids et la texture du papier sont variables. On voit ci-contre (1) du papier ondulé, (2) du papier ordinaire, (3) du papier calque, (4) du papier recyclé, (5) du papier d'emballage. Le papier recyclé, fabriqué à partir de papier journal par exemple, est bon marché. Le papier à aquarelle d'une certaine épaisseur et le papier-cartouche bon marché sont à recommander.

PAS À PAS

Rassemblez vos matériaux.

À la page précédente, nous avons étudié les possibilités du papier. Un éventail de matériaux beaucoup plus large est cependant à votre disposition. Notre exercice va vous permettre de travailler avec des éléments plus variés et de construire votre image pas à pas.

Rassemblez d'abord vos matières premières. Recueillez par exemple des images toutes faites (cartes postales, photographies de magazines, etc.). Vous pourriez également utiliser du papier recyclé (derrière les photographies de magazines, à droite).

1

2

✏ *Un mélange de bords découpés et déchirés ajoutera à l'intérêt de votre travail. Vos formes de papier peuvent se chevaucher. N'ayez pas peur, en les plaçant, de choisir des emplacements et des angles surprenants !*

✏ *Les photographies de magazines enrichissent le travail au niveau de la couleur et de la texture. Un avantage du collage, ne l'oubliez pas, est la possibilité de modifier une image avant ou même après l'avoir collée.*

10

Trouver un sujet

Si les idées vous viennent facilement à l'esprit, vous aurez peut-être choisi votre sujet avant même de commencer à rassembler des matériaux. Il est cependant possible que le thème susceptible de relier tous vos éléments n'apparaisse que pendant que vous les rassemblez. Il est parfois plus facile de laisser le sujet s'imposer à vous que de démarrer avec un plan bien arrêté.

Commencez votre collage en découpant et en déchirant des formes simples pour chacun des éléments clés que suggère votre thème (1). Voyez l'effet que produisent ces éléments placés dans diverses positions.

Taille et échelle

Grâce aux cartes postales et aux photographies (2), vous disposez d'images toutes faites. Profitez-en pour vous familiariser avec les tailles et les échelles. Dans la réalité, les objets qui sont proches de nous semblent plus grands que ceux qui sont éloignés. Exercez-vous à recréer cet effet avec des images de différentes tailles !

Voyez les animaux sur la page de gauche. Le plus grand, le lion, apparaît au premier plan. Le gorille, de taille moyenne, est au second plan. Quant au minuscule oiseau, sa place est bien au sommet de l'image, loin de l'observateur.

Créer un tout

Ayant rassemblé vos principaux matériaux, il ne vous reste plus qu'à les combiner (3). Les éléments de votre collage sont les pièces d'un casse-tête que l'on peut reconstruire de différentes manières. Il n'y a pas de bonne ou de mauvaise méthode. Voyez seulement ce qui vous convient le mieux.

Quand votre travail touchera à sa fin, ajoutez les fonds de tiroir que vous aviez rassemblés plus tôt. Ils apporteront intérêt, réalisme, humour même à votre collage, et, surtout, ils lui donneront du relief.

3

COLLAGE ET COULEURS

Une des joies du collage est de pouvoir travailler avec de grandes surfaces de couleur sans mélange de peinture préalable ni crayonnage laborieux. C'est l'idéal pour étudier l'interaction des couleurs. En effet, cette façon de travailler permet un maximum de combinaisons.

Rôle des couleurs

Les couleurs véhiculent des émotions, créent une certaine atmosphère, une certaine ambiance. Elles se mélangent ou contrastent l'une avec l'autre. Elles s'influencent également, chacune d'elles semblant se modifier selon l'entourage dans lequel elles sont.

Les couleurs suggèrent également la distance et l'espace. La chaleur du jaune et du rouge, par exemple, ressort de l'image, attire l'attention; la froideur du bleu et du violet est plus discrète. Correctement distribuées, elles créeront une réelle impression de profondeur.

Le relief grâce aux couleurs

Pour cet exercice, il vous faut du papier transparent de différentes couleurs. Du papier de soie, si possible: les couleurs se traverseront l'une l'autre, de sorte que deux d'entre elles, en se chevauchant, donneront naissance à une troisième.

Collez un paysage ou une marine pour apprendre à structurer les couleurs: chaudes au premier plan, plus froides à l'arrière-plan. Superposez les tons pour créer des ombres plus subtiles, telles que, ci-contre, le bleu turquoise du bord de l'eau, par exemple.

✐ *Pour que le papier de soie reste bien plat, j'ai aplani les bandes déchirées après avoir appliqué un peu de colle à leurs extrémités. Une fois le décor terminé, j'ai ajouté les détails (soleil, bateaux et baigneurs) pour attirer l'œil sur les différentes parties de l'image.*

Les couleurs chaudes avancent vers l'observateur. Utilisez-les au premier plan de votre image. Les couleurs froides, idéales pour l'arrière-plan, s'éloignent.

L'œil est attiré par des contrastes tels que jaune contre violet. Le rouge et le vert, le bleu et l'orange produisent le même effet d'opposition.

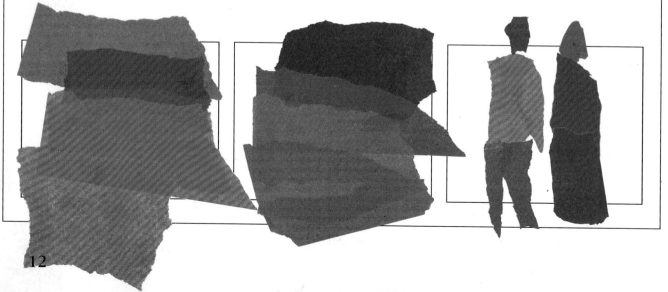

Une couche unique de papier jaune ou rouge transparent déposée sur un fond blanc est d'une teinte pâle et douce; une double couche semble plus sombre et plus éclatante. Le rouge et le jaune se chevauchent pour donner l'orange (voir ci-dessous).

TON

Qu'est-ce que le ton? Le ton d'un objet correspond à sa faible ou à sa forte clarté. Retirez la couleur, et seul le ton demeure. Le ton donne forme et consistance aux objets en désignant l'endroit où la lumière les frappe. Grâce à cet effet, votre travail gagnera en réalisme.

Vous allez maintenant, en collant du papier journal, vous exercer à distinguer les tons. Le sujet pourrait être une nature morte, comme sur la page de droite.

Ton et éclairage

Disposez quelques objets sous forme de nature morte. Étudiez-les de près. Deux facteurs agissent sur leur ton: leur couleur propre (sombre ou claire) et la lumière qui les frappe. Par exemple, une lumière pâle sur un pot noir paraîtra sans doute plus claire qu'une ombre sur une plaque blanche.

Faites correspondre les tons.

Étudiez les jeux de lumière sur votre nature morte et repérez la répartition des tons. Faites correspondre ce que vous voyez avec les tons noirs, gris et blancs du journal. Découpez ou déchirez des formes de papier de ton approprié et construisez lentement votre image.

☞ *Des grands titres aux lignes très aérées et aux caractères serrés, un journal contient tous les tons nécessaires à votre nature morte. Pour simplifier le travail, j'ai d'abord constitué le décor. Je l'ai ensuite recouvert de formes plus pâles.*

☞ *En tombant sur un objet, une lumière latérale produit des zones claires et ombrées. Ces zones sont parfois très distinctes.*

☞ *Le contraste de tons clairs et de tons sombres produit un effet spectaculaire qui attire irrésistiblement l'œil.*

☞ *Si vous découpez vos formes, le passage d'un ton à l'autre sera net. Si vous les déchirez, les lignes de séparation seront floues.*

Toutes les couleurs ont un ton. Regardez les carrés ci-dessus : vous reconnaîtrez certaines couleurs et noterez la diffé- rence de ton en passant de l'une à l'autre. Comparez-les au ton de la page et à celui de votre main qui tient ce livre.

MARBRURE ET FROTTIS

Vous prendrez plaisir à marbrer le papier, et les résultats seront saisissants. Il vous faudra de la peinture à l'huile, de l'huile de lin, de la térébenthine, une cuvette et quelques pots à confiture. Couvrez votre surface de travail de papier journal et suivez les instructions ci-dessous.

Frottis

Un frottis est l'empreinte en couleurs d'une texture. Cherchez autour de vous des objets de texture intéressante. Placez une feuille de papier fin sur chacun d'entre eux et frottez cette feuille avec un crayon ou un pastel de couleur.

✐ *Lorsque vous aurez produit plusieurs frottis et papiers marbrés de différentes couleurs, étudiez-les et voyez ce que leurs textures évoquent pour vous. Utilisez-les dans un collage, un paysage comme celui de droite, par exemple.*

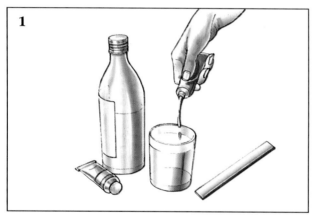

✐ *Dans un pot à confiture, mélangez une cuillerée d'huile de lin avec deux fois plus de térébenthine. Ajoutez 15 cm de peinture en tube et mélangez le tout avec un bâton.*

✐ *Remplissez plusieurs pots en variant les couleurs. Versez ensuite l'un d'eux dans une cuvette pleine d'eau. Le mélange flottera à la surface de l'eau. Mélangez à nouveau.*

✐ *Prenez une feuille de papier ordinaire et déposez-la sur l'eau. Retirez-la immédiatement et laissez s'écouler l'excédent. Faites sécher le papier à plat.*

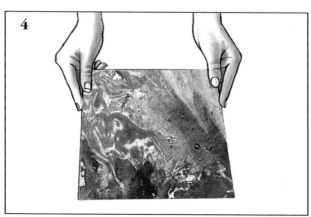

✐ *Votre papier est maintenant marbré. Vous pouvez l'immerger à nouveau dans une couleur différente et refaire l'expérience avec une autre feuille.*

Pour obtenir une bonne empreinte

Certaines textures sont représentées ci-dessous sous forme de frottis. Essayez cette méthode avec une pièce de monnaie ou le grain du bois. De nombreux ustensiles de cuisine sont de texture intéressante: râpe à fromage, tamis, dessous de plat en paille. Un monde nouveau apparaîtra sous vos doigts!

COLLAGE ET PHOTOGRAPHIE

Lorsque la photographie fut inventée, beaucoup de gens crurent la peinture condamnée. Cela n'a pas été le cas; de nombreux artistes contemporains, cependant, ont recours à la photographie pour créer des images.

Des images-puzzles

Découper et recomposer une photographie, c'est un peu concevoir son propre casse-tête. Vous obtiendrez une nouvelle image, intrigante, bizarre ou amusante.

Vous aurez besoin d'images telles que cartes postales ou photographies de magazines. Vous pourrez les découper au moyen de ciseaux ou d'un «cutter» (X-Acto). Un «cutter» (X-Acto) tenu contre une règle de métal tracera un bord net. Vous pourrez recomposer de nombreuses manières les morceaux que vous aurez coupés. Nous en illustrons ici quelques-unes et en suggérons d'autres. Laissez libre cours à votre imagination.

Carrés, bandes et éventails

Les photographies peuvent être découpées en carrés, comme ci-dessous, ou en bandes (droites ou courbes). On disposera les bandes courbes soit de façon régulière, soit en forme d'éventail. Cette dernière possibilité allongera l'image. À droite, l'éventail accentue la courbe du cou de l'oie. Cette technique convient tout particulièrement à des photographies de personnes en action.

Deux sujets en un

Un autre exercice, reproduit au bas de la page de droite, suppose le découpage en bandes. L'idéal est de choisir deux images complémentaires, comme le sont, par leur forme, la tête de l'oiseau et la colline. Découpez-les et entremêlez les bandes que vous obtiendrez. Une fois que ce sera fait, il y aura interaction entre les deux images. Le résultat peut être tout à fait surprenant.

✏ *L'image de gauche est composée de carrés. Pour découper ceux-ci avec plus de précision, marquez-en les bords sur le dos de l'original.*

L'illustration ne montre qu'une des nombreuses manières de replacer les carrés. Faites-les pivoter selon un angle de 90ºC et voyez ce qui se passe. Essayez à nouveau en les collant à l'envers (angle de 180ºC).

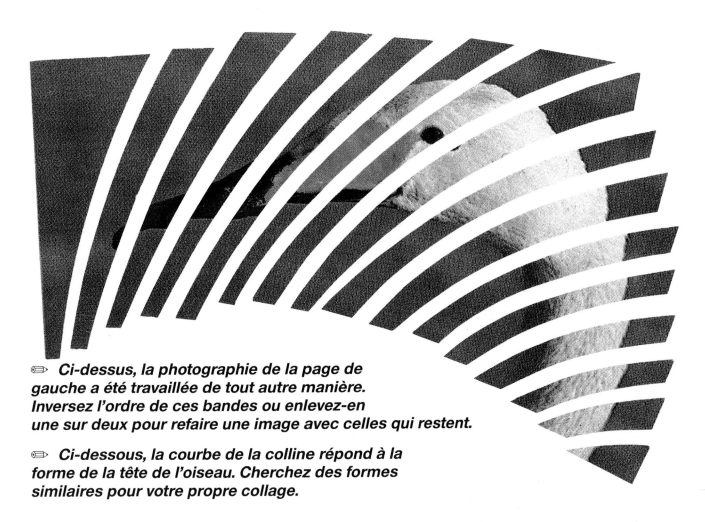

✐ *Ci-dessus, la photographie de la page de gauche a été travaillée de tout autre manière. Inversez l'ordre de ces bandes ou enlevez-en une sur deux pour refaire une image avec celles qui restent.*

✐ *Ci-dessous, la courbe de la colline répond à la forme de la tête de l'oiseau. Cherchez des formes similaires pour votre propre collage.*

19

PHOTOMONTAGE

Un collage fait de plusieurs photographies est un «photomontage». Les photomontages semblent issus du monde des rêves et non de la vie de tous les jours. Lorsque nous rêvons, le familier, êtres ou objets, se transforme souvent en étrange. Et il n'est pas rare de voir la même chose se reproduire plusieurs fois. De même, dans les photomontages, les formes se répètent, et les images, de familières, se font étranges et bizarres.

Nous allons nous intéresser, pour notre photomontage, aux possibilités offertes par la répétition de formes. Vous aurez besoin pour cela d'un «cutter» (X-Acto) et de magazines.

Multiplier les formes

Parcourez les magazines pour trouver une image qui vous séduise. Choisissez la photographie d'une personne ou toute forme simple aisément reconnaissable à sa seule silhouette. Suivez les contours de l'image en pressant le magazine pour découper plusieurs pages simultanément. Ce faisant, vous obtiendrez une série de formes identiques (illustration ci-dessous). À vous de les utiliser!

Positifs et négatifs

Vous obtiendrez autant d'images négatives que de positives. Les images négatives sont en quelque sorte des trous.

Silhouette et décor

Ci-dessous, à gauche, la silhouette a été découpée et retirée de son environnement: elle y laisse sa forme, son «négatif».

À droite, silhouettes et décors ont été retournés, devenant ainsi le reflet des formes originales (à gauche).

Il s'agit du blanc laissé dans le décor chaque fois que l'on y découpe une image. Les négatifs serviront également au collage final.

Les pages des magazines sont imprimées sur leurs deux faces. Le dos de vos positifs et de vos négatifs sera donc lui aussi recouvert d'un motif. Vous pouvez inclure ce dernier dans votre image.

Une fois que vous aurez constitué une réserve d'images et de décors, commencez vos essais. Retournez certaines silhouettes : elles sembleront être le reflet des autres. Toutes vos images devront apparaître dans le collage. Le montage ci-dessous repose sur la technique du reflet ainsi que sur les métamorphoses oniriques.

✏ *Dans mon photomontage, de simples feuilles se transforment en arbres. Une tête de chat devient papillon. Sur le volet opposé, des traits humains (dont la forme évoque celle du papillon) semblent flotter dans l'air.*

COLLAGE ET DESSIN

À plusieurs reprises, jusqu'à présent, nous avons utilisé des dessins ou des peintures pour nos collages. Nous allons maintenant faire l'inverse: nous allons incorporer des éléments de collage dans un dessin ou une peinture.

Utiliser des fragments de collage

Choisissez un sujet de dessin ou de peinture (une rue, comme ci-contre, ou la vue que l'on a d'une fenêtre, par exemple). Reprenez les journaux et les magazines déjà rassemblés pour les exercices précédents. Faites appel à votre imagination: quels fragments intégrer au dessin ou à la peinture? Et comment? Peut-être, d'autre part, vos fragments vous suggéreront-ils un sujet. Grands titres, morceaux de papier journal, publicités de magazines: tout peut servir, comme vous le voyez sur la page de droite. Ne vous souciez pas trop des mots inscrits sur vos fragments. Il n'est pas indispensable qu'ils correspondent de façon très précise à votre sujet.

Mélanger les matériaux

L'image ci-contre a été dessinée au crayon, au fusain, au pastel à l'huile et à la plume à encre. Vous pourriez utiliser certains de ces instruments pour votre propre dessin. Réservez des espaces pour vos fragments de collage. Collez ensuite ces derniers.

✏ *Si vous dessinez des gens dans la rue, les caractères et les images peuvent ajouter une note de réalisme aux façades des magasins, aux panneaux routiers ou aux panneaux d'affichage. Le collage peut également valoriser une partie du dessin un peu moins réussie. Si vous avez du mal à dessiner les gens, pourquoi ne pas plutôt coller leur image?*

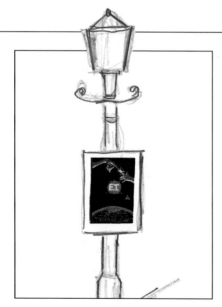

✏ *Pour éviter d'abîmer le dessin, pulvérisez du fixatif avant de coller vos fragments.*

✏ *Autre solution: d'abord coller les fragments et ensuite les entourer d'un dessin.*

✏ *Si un mot est introuvable, découpez et collez-en les lettres une à une pour le reconstituer.*

COLLAGE ET ÉTOFFES

Pas besoin de savoir coudre ou tricoter pour goûter la richesse du monde du tissu. Les étoffes vous offrent un éventail de possibilités entièrement nouvelles grâce auxquelles vos obtiendrez des résultats autrement impossibles à atteindre.

De nombreuses textures

Dans la plupart des maisons, il est possible de dénicher un sac rempli de vieux morceaux de tissu. Réunissez autant d'étoffes que possible. La soie, le velours côtelé ou ordinaire, la toile de jute, la mousseline: chaque matériau a un caractère, une couleur, une texture, un broché qui lui sont propres.

☞ *Les vieux morceaux que j'ai rassemblés m'ont fait penser au visage et aux vêtements extravagants d'un clown. Le visage est en nylon rose et le décor est un coutil de coton.*

Boutons, paillettes, rubans, laine et feutre vous seront utiles. Vous aurez également besoin d'une paire de ciseaux tranchants, de colle forte, d'épingles ou d'agrafes, et, comme base, de carton épais ou de liège.

Qu'évoquent vos morceaux de tissu?

Étudiez vos fragments et voyez ce qu'ils évoquent pour vous. Peut-être vous font-ils penser à une tête comme celle de la page de droite, ou à un animal, un paysage, un thème abstrait. Travaillez comme s'il s'agissait de papier: testez différentes positions avant de coller ou d'agrafer les morceaux de tissu.

☞ *J'ai choisi un coton rouge brillant pour le nez et du patchwork de coton en petits carrés pour la veste. Pour les cheveux, j'ai finalement opté pour du tweed grossier.*

24

COLLAGE ET RELIEF

Exercice après exercice, vous avez superposé des morceaux de papier : les images que vous avez créées étaient donc tridimensionnelles. Pourquoi ne pas exploiter au maximum cette qualité ? Pourquoi ne pas donner un véritable relief à vos créations ?

Recyclez !

Constituez-vous une nouvelle réserve, d'objets destinés au rebut cette fois !

✎ *La partie gauche du collage est faite de clous, de pommes de pin, d'écorce et de l'empreinte d'une voiture dans une feuille de papier aluminium.*

Boîtes, tubes, bouteilles de plastique, jouets, bois, feuilles : tout est bon. Comme support, prenez du bois, du liège ou du polystyrène. Vous fixerez les objets au moyen de clous, d'agrafes ou de colle.

Choisissez un sujet ou laissez-vous inspirer par vos matériaux. Ci-contre, une ville, avec ses escaliers et ses tours, est plongée dans la science-fiction.

Utilisez les ombres.

Le collage en relief intègre les ombres jetées par les objets. C'est d'ailleurs là un de ses avantages. Une couche de peinture parachèvera votre œuvre : elle l'unifiera tout en mettant en valeur les jeux d'ombres et de lumière. L'exemple de la page 26 l'illustre bien.

Pour adapter les matériaux

Transformez vos éléments. Ouvrez certaines boîtes, découpez-en d'autres ; réduisez des tubes de moitié et évasez des tasses en plastique. Pliez du carton pour les marches, découpez portes et fenêtres. Certains éléments seront cachés dans d'autres : seul l'observateur attentif les découvrira.

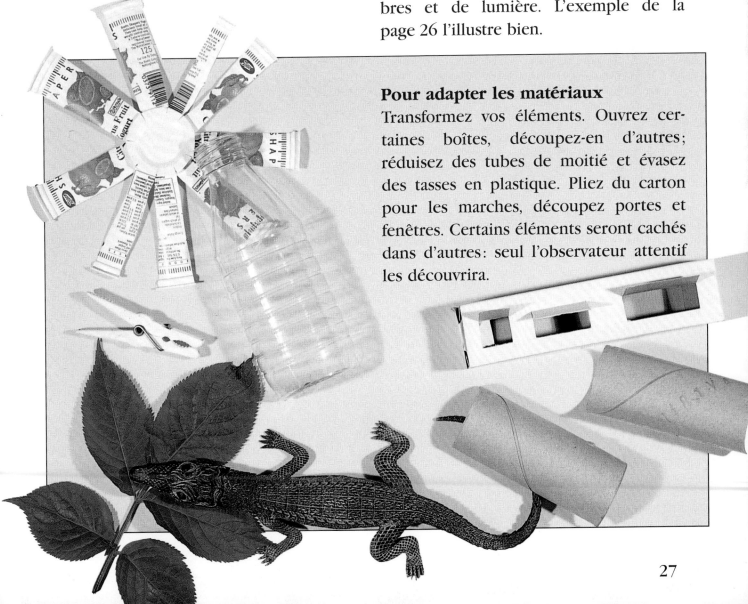

JOURNAL DE BORD

On dit que toute image a son histoire à raconter. N'avez-vous jamais pensé, de retour de vacances, à conserver toutes sortes de petits objets en guise de souvenirs? Nous allons voir comment les utiliser pour en faire un collage. Une fois de plus, le collage que vous allez réaliser sera en relief. Les jeux d'ombres auront donc ici aussi leur mot à dire.

Récupérez vos vieux albums.

En territoire inconnu, des tickets de bus, de simples emballages de friandises même semblent magiques. Si vous conservez de tels souvenirs de vacances dans un vieil album, nous allons vous donner l'occasion de les recycler. Dans le cas contraire, il vous faudra partir en expédition pour rassembler vos matériaux.

La visite d'une galerie ou d'un musée, ou même une promenade dans le parc, peuvent vous apporter l'inspiration nécessaire pour un beau collage.

Pendant l'expédition

Votre expédition doit avoir toutes les chances de vous apporter le type de matériaux recherchés. Pensez à réunir tout ce qui pourrait convenir à un collage, tickets, plans, brochures et cartes postales compris.

Prenez des instantanés ou faites quelques croquis rapides. Vous pourriez vous arrêter régulièrement, tous les cent pas par exemple, pour prendre des notes ou recueillir ce qui vous semble intéressant. Ne vous limitez pas au papier : le collage ci-contre inclut des ballons, des pièces de monnaie, de la pellicule et du sable.

Composition

De retour chez vous, disposez vos matériaux sur un grand carton de couleur ou sur un support de liège ou de polystyrène. Arrangez-les du mieux que vous pourrez. N'oubliez pas que le voyage de l'observateur, dont les yeux parcourent le collage, doit être aussi passionnant que le vôtre! Une fois que vous aurez trouvé la composition la plus plaisante, épinglez, collez ou agrafez vos matériaux. De nombreux artistes modernes ont ainsi rendu compte de leurs voyages.

✏ *Mon collage rend compte d'un voyage à Disneyland. Comme vous le voyez, il n'est pas achevé. Bien que la plupart des éléments aient trouvé leur place, ceux que j'ai déposés à droite ne font pas encore partie de l'image.*

Votre collage pourrait inclure certains des éléments repris ci-dessous: brochures et cartes postales, plans, tickets et cartes d'entrée. Des «objets trouvés», tels que brindilles, feuilles, fleurs, terre, coquillages, et même sachets d'épices (comme ci-dessous), feront également l'affaire.

CADEAUX ET PRÉSENTATION

dement et aisément un grand nombre d'images de toutes sortes. Ces images feront des cartes et des affiches réellement magnifiques.

Multiplier les exemplaires

En appuyant bien sur votre «cutter» (X-Acto), ou en utilisant des ciseaux très tranchants, vous pourrez découper des formes dans plusieurs feuilles à la fois. Cette technique permet la production en masse de cartes ou d'affiches pour annoncer une pièce scolaire, par exemple (à gauche). Vous disposerez ainsi d'une série d'affiches personnalisées.

Varier la composition

Des formes identiques ne doivent pas nécessairement être disposées de la même manière. À droite, vous voyez deux invitations à une fête. Bien qu'identiques, les éléments ont été disposés selon deux compositions différentes: ils ne forment pas les mêmes angles, et chaque image est le reflet inversé de l'autre. Fixé sur du carton raide, le collage pourra rester debout et devrait durer plus longtemps. Grâce aux collages, vous produirez rapi-

Présentation

Pensez à la présentation de votre collage. Vous aurez souvent intérêt, après en avoir découpé les bords, à le monter sur du carton ou à l'encadrer derrière un verre. Si vous avez déchiré vos formes assez librement, mieux vaut ne pas toucher aux bords du collage mais laisser un contour de carton visible de tous les côtés.

CONSEILS PRATIQUES

Stockage des matériaux

Au fil de cet ouvrage, vous avez dû rassembler des matériaux. Stockez-les: vous éviterez de laborieuses recherches chaque fois que vous vous lancez dans un nouvel exercice. Réservez un emplacement à cet effet. Classez différents types de papier en piles séparées et rangez-les dans un tiroir. Si vous n'avez pas de tiroir à votre disposition, emmagasinez-les dans des boîtes, dans des sacs-poubelle, etc. Mettez les sacs à plat: le papier ne se froissera pas.

Préparation

Il vous faudra également préparer votre surface de travail. Que vous travailliez sur le sol ou sur une table, vous aurez besoin d'espace. Le collage implique un certain désordre, surtout dans le feu de l'action. En fait, si vous avez peur de ce désordre, vous ne pourrez sans doute manifester l'enthousiasme nécessaire à la réalisation du collage.

Avant de vous mettre à l'œuvre, étendez du papier journal sur la surface de travail. Habillez-vous de vieux vêtements. Gardez du tissu à portée de la main pour éponger du liquide ou de la colle. N'oubliez pas de replacer le capuchon sur votre tube de colle et de remettre votre «cutter» (X-Acto) dans son étui après usage.

Pour coller de grandes surfaces

Si vous devez coller de grandes surfaces de papier, la colle à papier peint est idéale. Mélangez-la à de l'eau dans une vieille cuvette ou dans un pot à confiture. Appliquez-la avec un pinceau.

Avertissement

Les émanations de certaines colles sont plutôt nocives. Veillez à ne pas les respirer.

Comment déchirer

Déchirer le papier est une manière directe et aisée de lui donner une forme, mais les résultats sont parfois aléatoires. Vous obtiendrez de meilleurs résultats en faisant d'abord glisser un «cutter» (X-Acto) ou la lame de vos ciseaux sur le papier. Déchirez le long du sillon ainsi creusé, pour obtenir un bord légèrement rugueux, ou retirez la forme par simple pression.

Autre solution: tracez une ligne avec un pinceau imbibé d'eau. Déchirez ensuite le long de cette ligne tant que le papier est encore humide.

À distance

Les collages sont également des tableaux: on doit pouvoir les admirer en tant que tels. Une fois encadré ou monté, votre travail pendra au mur de telle manière que l'on puisse le voir de loin. Tout comme une peinture, il doit être admiré à distance. En l'ayant sous les yeux pendant un certain temps, vous noterez peut-être des éléments à modifier ou à changer de place. Le collage permet presque toujours les additions et les modifications. C'est là un de ses grands avantages.

INDEX

A agrafes 7

B bandes 18
bords 4, 5, 10

C cadeaux 30
caoutchouc 4
caractères 22
carrés 18
cartes postales 11, 18
carton 2, 7
ciseaux 4, 5, 18, 30
ciseaux à denteler 5
coller 7, 11, 12, 31
composition 8, 10, 30
contrastes 12
couleurs 4, 7, 12-16
couleurs chaudes 12
couleurs froides 12
«cutters» (X-Acto) 4, 5, 18, 30

D déchirer 4, 5, 10, 11, 14, 30
découper 4, 5, 10, 11, 14
dessin 7, 22

E échelle 11, 12
éclairage 14
effets spéciaux 6
encadrer 31
enrouler 5
épingles 7
espace 12
étoffes 24
éventail 18

F feuille de papier aluminium 6
ficelle 2
fixatif 22
fixation 7, 22
fleurs de papier 8
fragments 22
franger 5
froisser 6
frottis 16, 17

H huile de lin 16

I images prêtes à l'emploi
10, 11, 18-22, 29
instruments 4, 5, 7

J journal de bord 28, 29
journaux 14, 16, 22

M magazines 18, 21, 22
marbrure 16, 17
matériaux 10, 11, 22, 24
mélange des couleurs 13
montage 31

N négatifs 20

O objets 6, 11, 14, 27
objets trouvés 29
ombres 27

P papier 4, 6, 8
papier de couleur 4, 7
papier de soie 6, 12
peinture 7, 22
peinture à l'huile 16
perforatrice 5
photographies 10, 11, 18-20

photomontage 20, 21
polystyrène 2, 7, 32
préparation 31
présentation 30
production de masse 30
profondeur 11, 12, 27
publicités 22

R rassembler 8, 10, 24, 27-29
rêves 20
ruban adhésif 7

S stockage 31
sujets 11
support 4

T taille 11, 12
térébenthine 16
ton 14, 15
tridimensionnelles (images)
27

✏ *J'ai recyclé du polysty-*
rène, des capsules de bou-
teilles, du papier ondulé et
de la ficelle pour représen-
ter ces fleurs sur un appui
de fenêtre.